Les délices

DE LA CUISINE
AU SOJA

(Tofu, lait de soja, miso…
Le soja dans tous ses états

Minerva

Conception graphique :
Carine Turin

Mise en pages :
Véronique Zonca

Connectez-vous sur :
www.editionsminerva.fr

© 2009 Éditions Minerva, Genève (Suisse)
ISBN : 978-2-8307-1123-3

Les délices

DE LA CUISINE
AU SOJA

(Tofu, lait de soja, miso…
(Le soja dans tous ses états

Photographies : Nicolas Leser
Textes et stylisme : Ulrike Skadow

Minerva

Le soja

Inconnu dans nos assiettes il y a encore quelques années, le soja y a débarqué assez soudainement, pour remplacer nos classiques produits laitiers, accusés de nombreux maux. Désormais, les dérivés de cette petite graine jaune, ronde comme un pois, sont mis à toutes les sauces ou presque, notamment comme substitut du lait.

Rares sont ceux qui y viennent par plaisir. Ils s'y astreignent plutôt parce qu'« on » leur a dit (leur médecin, leur naturopathe, leur voisin ou bien la pub à la télé !) que c'était bon. Pour le cholestérol, l'ostéoporose, le cancer, etc. Au début ils se forcent, puis ils y prennent goût. « Yaourt », « lait », « crème » de soja se trouvent désormais dans tous les supermarchés, ainsi que du tofu parfois, sous forme brute ou cuisinée.

Dans les magasins bio, le soja est décliné de façon bien plus créative. Les recettes de ce livre en sont la parfaite illustration. C'est d'abord parce qu'historiquement, les boutiques d'aliments biologiques étaient fréquentées par des personnes en recherche de pureté, pétries de végétarisme, très influencées par le mode alimentaire asiatique (notamment le mouvement macrobiotique), dans lequel le soja trouve une place de choix.

Depuis, les magasins bio ont beaucoup évolué, leurs étals se sont enrichis de nombreux produits, mais le soja y est toujours en grande estime. C'est parce qu'il est un des végétaux les plus riches en protéines, ce qui en fait un parfait substitut de la viande. Alors que l'alimentation occidentale est souvent trop riche en graisses d'origine animale, le soja, lui, contient moins de graisses et elles sont de meilleure qualité, tandis que ses protéines sont tout à fait comparables à celles d'un steak. Voilà un des intérêts majeurs de ce végétal !

Trop de viande n'est pas écologique : l'alimentation du bétail, son élevage, son transport ont un impact très important sur le réchauffement climatique. Pour produire un kilo de viande, il faut, en effet, six fois plus de terre que pour la même quantité de soja, que l'on pourrait consommer directement. La culture de ces petites gousses est absolument exponentielle, notamment aux États-Unis, en Argentine et au Brésil, où l'on a défriché à tour de bras. Malheureusement, ce n'est pas pour nourrir les populations, mais pour engraisser les animaux qui nourriront surtout les Européens ! Sur près de 100 000 hectares de forêt amazonienne, s'étendent désormais des champs de soja, très consommateurs d'herbicides et de pesticides. C'est une réelle catastrophe écologique, un gaspillage d'énergie et de surface de plus en plus inacceptable sur une planète surpeuplée et beaucoup trop polluée et polluante.

Le soja est un des végétaux les plus riches en protéines, ce qui en fait un parfait substitut de la viande.

Nous cultivons le soja avec violence pour nourrir notre future viande, plutôt que de consommer nous-mêmes directement un soja de qualité qui serait produit avec amour… Un réel non-sens…

Le soja est très bénéfique pour l'agriculture, notamment biologique. C'est très exactement un oléoprotéagineux, bien qu'on le classe souvent dans la catégorie des légumineuses (pois, haricots, lentilles). Comme elles, il enrichit naturellement la terre en azote, ce qui augmente les rendements du blé planté au même endroit l'année suivante. C'est donc un engrais naturel. Il se cultive très facilement sans pesticides et est peu gourmand en eau. Son seul inconvénient, c'est l'enherbement: en bio, cela demande de la main-d'œuvre et du temps pour nettoyer; en agriculture conventionnelle, on utilise beaucoup d'herbicides. C'est d'ailleurs pour cela qu'ont été développés des sojas OGM censés résister aux désherbants chimiques.

OGM, le sigle fatidique est écrit. Le soja est particulièrement concerné par cette question, puisque plus de la moitié de celui produit dans le monde est issu d'organismes génétiquement modifiés, l'Europe en étant le plus gros importateur pour nourrir le bétail (notamment les bœufs et les porcs).

Outre les herbicides de synthèse, la charte de l'agriculture biologique bannit toute semence issue d'OGM. Ce que la nouvelle réglementation européenne autorise, c'est un certain pourcentage de contamination accidentelle (moins de 1 %). En effet, ces contaminations restent à craindre, sur le champ si des parcelles d'essais sont à proximité, ou lors du transport dans des containers qui auraient auparavant transporté du soja OGM.

Il est important de retenir que le soja bio français offre des garanties supplémentaires en matière de traçabilité OGM, contrairement aux sojas bio américains qui ont beaucoup plus de risques d'être contaminés. La provenance française des graines de soja est bien souvent indiquée sur les emballages des produits.

Le soja, bon pour la santé ? Difficile de faire la part du vrai et du faux dans la polémique sur les effets du soja, autant encensés par certains que diabolisés par d'autres. Des spécialistes s'affrontent à coups d'études, expertises et contre-expertises. Impossible de trancher. La vérité se situe probablement, comme toujours, dans une consommation mesurée (pour un individu en bonne santé).

Mais à tous les détracteurs du soja, on peut simplement opposer la longévité des Japonais, beaucoup moins sujets aux cancers et pourtant grands adeptes du soja sous de très nombreuses formes !

On peut néanmoins avancer certains faits incontestés, ou quasiment.

Comme les autres légumineuses, le soja contient un certain nombre de facteurs antinutritionnels qui sont détruits lors de la cuisson, la fermentation ou la germination. La graine ne doit donc pas être consommée crue. Précisons d'ailleurs que les petites graines vertes dont on tire

La graine
ne doit pas être
consommée
crue.

Les hormones
végétales ont
des effets positifs
sur la prévention
de certains
cancers et celle
de l'ostéoporose
chez la femme
ménopausée.

les fameux « germes de soja » de la cuisine chinoise ne sont pas du soja (*Glycine maxima*), mais une variété de haricot (*Phaseolus*) dit mungo. Ils ne sont donc pas concernés par notre propos.

Certains des sucres du soja peuvent sembler indigestes s'ils ne sont pas fermentés ou cuits. Les Chinois, Japonais et Coréens, qui le cultivent depuis plus de trois mille ans, le consomment essentiellement sous forme fermentée. Il est ainsi beaucoup mieux assimilé. À vous de voir comment vous le digérez…

Le soja contient aussi 20 % de lipides (graisses poly-insaturées, oméga 3 et oméga 6) et 5 % de minéraux. Il est très riche en lécithine, un émulsifiant naturel qui permet de rendre les corps gras solubles dans le sang. Différentes études menées par des laboratoires indépendants ont montré qu'il est efficace pour aider à baisser le taux de cholestérol total, et notamment le mauvais cholestérol, pour qui en consommerait régulièrement en remplacement des protéines animales.

Il produit aussi des hormones végétales, les phyto-œstrogènes, notamment les isoflavones. D'après les études menées, elles exerceraient des effets positifs sur la prévention de certains cancers et celle de l'ostéoporose chez la femme ménopausée. Mais pour que cela soit bénéfique, il faudrait en consommer régulièrement de manière préventive (entre 50 et 100 mg de principe actif par jour, que l'on trouvera dans 500 ml de tonyu ou l'équivalent en « laitages »).

Attention ! Si une femme non ménopausée mange cette même dose de soja, mais de façon anarchique, son cycle hormonal semble être très perturbé. Il est donc important de ne pas augmenter fortement sa consommation de soja sans en parler à son médecin.

Ces mêmes principes actifs ne seraient pas toujours bénéfiques. On parle d'effets légèrement accélérateurs de l'évolution des tumeurs cancéreuses déclarées, de problèmes chez des nourrissons exclusivement alimentés au lait de soja. On sait aussi que de plus en plus d'allergies au soja se développent, notamment chez ceux qui en abusent…

Tout est donc une question de mesure !
Mangez du soja si vous l'aimez, mais pas inconsidérément, car ce n'est pas un aliment anodin. Par précaution sanitaire, et pour la protection de la planète, choisissez-le bio. Si possible français si vous vous méfiez des OGM. Et surtout, que cela reste un plaisir : bien cuisiné, il peut être absolument délicieux. Tout l'objectif de ce livre est de vous le montrer ! ■

Véronique Bourfe-Rivière

> Il est important de ne pas augmenter fortement sa consommation de soja sans en parler à son médecin.

Pour en savoir plus sur…
- les OGM : www.infogm.org
- les « bienfaits » du soja : www.vegetarisme.fr
- les « méfaits » du soja sur la santé :
www.westonaprice.org/soy/bonnesraisons.html
- les « méfaits » du soja sur la planète :
www.greenpeace.org

Graines et flocons de soja /// PAGE 12

Farine et pâtes de soja /// PAGE 32

Huile de soja, tamari, shoyu et miso /// PAGE 48

Tofu et tempeh /// PAGE 60

Lait et crème de soja /// PAGE 106

Graines

et flocons

Graines et flocons de soja

La graine du soja jaune se consomme aussi bien à l'état frais – elle est alors appelée édamame – que sous forme séchée.

L'édamame est délicieux simplement cuit à l'eau ou à la vapeur et saupoudré d'un peu de fleur de sel, comme le font les Anglo-Saxons. En France, il n'est pas facile de se procurer du soja frais, mais vous le trouverez surgelé dans les épiceries asiatiques.

Les graines de soja séchées se prêtent à de nombreuses utilisations. Elles se consomment en salade ou en soupe et enrichissent un couscous ou une ratatouille.

Comme pour les haricots secs, il faut penser à les faire tremper la veille.

À l'inverse, le soja concassé cuit très vite et il y a quantité de façons de l'accommoder : en taboulé, en accompagnement de légumes ou de plats en sauce, dans des galettes végétales…

Les flocons de soja, vendus toastés et précuits, nécessitent également très peu de cuisson. Ils permettent de réaliser des pâtes à tarte, à crumble ou à pain originales avec un petit goût de noisette.

Vous pouvez aussi les passer rapidement à la poêle avec 1 cuillerée d'huile d'olive pour les rendre bien croustillantes et en parsemer sur des crudités, une salade, une soupe ou des légumes.

Les protéines du soja, d'excellente qualité (équivalentes à celles d'un steak), font de cette graine un précieux allié pour une alimentation équilibrée.

Attention, le soja ne se consomme jamais cru ! Il contient, en effet, des facteurs antinutritionnels, qui sont détruits par la cuisson, la fermentation ou la germination. ▪

Taboulé au soja concassé

100 g de soja jaune concassé
100 g d'épeautre précuit concassé
le jus d'1 citron moyen
4 tomates
1 gros oignon doux
1 bouquet de menthe
1 bouquet de persil plat
4 c. à s. d'huile d'olive
sel, poivre

Préparation : 15 minutes
Cuisson : 15 minutes
Pour 4 personnes

Portez à ébullition 60 cl d'eau dans une casserole. Versez le soja dans l'eau bouillante, baissez le feu et laissez cuire 5 minutes. Ajoutez l'épeautre et continuez la cuisson pendant 10 minutes. Toute l'eau doit avoir été absorbée en fin de cuisson.

Mélangez le jus du citron dans un saladier avec un peu de sel et de poivre. Versez l'huile en remuant.

Ajoutez le soja et le blé dans le saladier en mélangeant bien.

Ébouillantez les tomates et pelez-les. Coupez-les en deux, épépinez-les et taillez-les en dés.

Épluchez et hachez l'oignon. Lavez et effeuillez les herbes, puis ciselez-les finement.

Ajoutez les tomates, l'oignon et les herbes dans le saladier. Mélangez le taboulé et réservez au frais jusqu'au moment de servir.

Salade de graines de soja aux algues

200 g de graines de soja jaune
1 concombre
2 échalotes
4 c. à s. d'algues en paillettes
le jus de 2 citrons
3 c. à s. d'huile de sésame
3 c. à s. d'huile de soja
1 bouquet de persil plat
sel, poivre

Préparation : 10 minutes
Trempage du soja : 1 nuit
Cuisson : 50 minutes
Réfrigération : 1 heure
Pour 4 personnes

La veille : faites tremper les graines de soja dans un bol d'eau froide.

Le jour-même : égouttez le soja et faites-le cuire à la vapeur pendant environ 50 minutes ; les graines doivent rester un peu fermes. Laissez refroidir.

Épluchez et hachez les échalotes.

Préparez une vinaigrette dans un saladier en mélangeant le jus de citron avec les deux huiles, un peu de sel et de poivre. Ajoutez les échalotes hachées et les algues.

Épluchez le concombre et coupez-le en deux dans la longueur. Épépinez-le et taillez-le en dés.

Ajoutez les dés de concombre et les graines de soja refroidies dans la sauce.

Lavez le persil et ciselez-le finement au-dessus du saladier. Mélangez le tout et réservez au frais pendant 1 heure.

Édamame sauté

750 g d'édamame (fèves de soja fraîches)
4 petits oignons nouveaux avec leurs tiges vertes
1 citron non traité
1 petit piment sec (peperoncino)
2 c. à s. d'huile d'olive
50 g de noisettes décortiquées
sel

Préparation : 25 minutes
Cuisson : 5 minutes
Pour 4 personnes

Blanchissez les fèves de soja 2 minutes dans une casserole d'eau bouillante salée. Égouttez-les et appuyez légèrement sur les cosses pour en sortir les fèves.

Épluchez et émincez les petits oignons avec leurs tiges.

Rincez le citron, prélevez la moitié du zeste et émincez-le finement. Blanchissez les zestes 1 minute.

Concassez les noisettes et torréfiez-les à sec dans une poêle, en remuant avec une spatule. Réservez dans un bol.

Essuyez la poêle et faites chauffer l'huile d'olive. Ajoutez les oignons émincés et le piment coupé en deux. Laissez revenir 2 minutes à feu moyen en remuant.

Ajoutez les fèves de soja et les zestes de citron. Salez et faites revenir le tout encore 3 minutes en mélangeant.

Pressez le citron pour récupérer 1 cuillerée à soupe de jus. Arrosez l'édamame de jus de citron, parsemez de noisettes grillées et servez.

Caviar d'édamame

500 g d'édamame (fèves de soja fraîches)
1 petit oignon frais
6 brins de coriandre
2 c. à s. de jus de citron
1/2 c. à c. de wasabi (raifort japonais)
5 c. à s. d'huile d'olive
sel, poivre

Préparation : 15 minutes
Cuisson : 7 à 8 minutes
Pour 4 personnes

Blanchissez les fèves de soja 2 minutes à l'eau bouillante salée puis égouttez-les. Appuyez légèrement sur les cosses pour faire sortir les fèves.

Faites cuire les fèves encore 5 minutes à la vapeur. Laissez refroidir.

Épluchez l'oignon et hachez-le grossièrement avec la tige.

Mixez les fèves de soja avec l'oignon, le jus de citron, le wasabi, l'huile d'olive, un peu de sel et de poivre.

Versez la préparation dans un bol. Parsemez de coriandre ciselée et réservez au frais.

Servez le caviar d'édamame avec des tranches de pain grillé.

Couscous végétarien aux graines de soja

100 g de graines de soja jaune
400 g de semoule de blé semi-complète
4 tomates
2 carottes
2 navets
1 courgette
1/4 de chou
1 gros oignon
100 g de raisins secs
1 petit bouquet de coriandre
coriandre en poudre
cumin en poudre
cannelle en poudre
harissa
2 c. à s. d'huile d'olive
sel, poivre

Préparation : 25 minutes
Trempage du soja : 1 nuit
Cuisson : 1 heure
Pour 4 personnes

La veille : faites tremper les graines de soja dans un bol d'eau froide.

Le jour-même : rincez le soja puis faites-le cuire à la vapeur pendant 1 heure.

Pelez et hachez l'oignon. Ébouillantez les tomates puis pelez-les et coupez-les en morceaux. Épluchez les carottes et les navets. Coupez les carottes en bâtonnets et les navets en quartiers. Lavez la courgette et coupez-la en gros tronçons. Nettoyez le chou et coupez-le en quatre.

Faites chauffer l'huile d'olive dans une cocotte, puis faites revenir l'oignon 2 minutes à feu moyen. Ajoutez les tomates, mélangez et laissez mijoter 10 minutes.

Mettez ensuite tous les légumes dans la cocotte. Ajoutez les raisins secs et les épices. Salez, poivrez et couvrez largement d'eau. Laissez mijoter 40 minutes à couvert.

Préparez le couscous selon les indications mentionnées sur l'emballage. Versez la semoule cuite dans un saladier et gardez-la au chaud. Ajoutez le soja aux légumes cuits. Parsemez de coriandre fraîche ciselée. Servez la semoule avec les légumes et une petite coupelle de harissa.

Ratatouille au soja et au shoyu

100 g de graines de soja jaune
1 c. à s. de shoyu
2 poivrons rouges
1 aubergine
1 courgette
4 tomates
1 oignon
4 gousses d'ail
4 c. à s. de coriandre hachée
7 c. à s. d'huile d'olive
sel, poivre

Préparation : 20 minutes
Trempage du soja : 1 nuit
Cuisson : 1 heure
Pour 4 personnes

La veille : faites tremper les graines de soja dans un bol d'eau froide.

Le jour-même : rincez le soja et faites-le cuire à la vapeur pendant 1 heure.

Lavez les légumes et coupez-les en gros dés. Épluchez et hachez l'oignon et l'ail.

Faites chauffer 3 cuillerées à soupe d'huile dans une cocotte en fonte, puis faites revenir les dés de poivron et de courgette 10 minutes à feu moyen. Enlevez les légumes de la cocotte et réservez-les sur une assiette.

Ajoutez 3 cuillerées à soupe d'huile dans la cocotte et faites dorer les dés d'aubergine à feu assez vif en remuant avec une spatule. Enlevez-les de la cocotte et réservez.

Versez le reste d'huile dans la cocotte et faites revenir le hachis d'oignon et d'ail 2 minutes en mélangeant. Ajoutez les poivrons, les courgettes et les tomates et laissez mijoter 15 minutes en remuant régulièrement.

Incorporez les dés d'aubergine, poivrez mais salez légèrement. Continuez la cuisson 10 à 15 minutes.

Ajoutez au dernier moment les graines de soja cuites, le shoyu et la coriandre. Servez tiède ou froid.

Tarte aux épinards et flocons de soja

1 kg d'épinards frais (ou surgelés)
100 g de raisins secs
50 g de pignons de pin
3 c. à s. d'huile d'olive
sel, poivre
Pour la pâte :
50 g de flocons de soja
150 g de farine de blé
4 c. à s. d'huile d'olive
1 œuf
1 pincée de sel

Préparation : 30 minutes
Réfrigération : 30 minutes
Cuisson : 35 minutes environ
Pour 4 personnes

Préparez la pâte : versez la farine et les flocons de soja dans un sala-dier. Ajoutez le sel et l'huile d'olive. Travaillez le mélange avec les doigts pour obtenir une consistance de sable grossier. Ajoutez l'œuf et pétrissez rapidement pour former une pâte.

Étalez la pâte dans un moule à tarte graissé d'environ 22 cm de diamètre. Placez au réfrigérateur pendant 30 minutes.

Rincez les raisins sous l'eau chaude et mettez-les à tremper dans un bol d'eau tiède pendant 30 minutes.

Supprimez les tiges et les grosses côtes des épinards (s'ils sont frais). Lavez-les à l'eau vinaigrée puis égouttez-les.

Préchauffez le four à 190-200 °C (thermostat 6-7).

Faites revenir les raisins égouttés et les pignons 3 minutes dans une poêle avec 2 cuillerées à soupe d'huile d'olive en remuant avec une spatule. Ajoutez les épinards, salez, poivrez et laissez cuire jusqu'à évaporation de l'eau de végétation.

Sortez le moule du réfrigérateur, couvrez la pâte de papier cuisson et remplissez-le de légumes secs. Enfournez et laissez cuire 15 minutes.

Enlevez les légumes secs et le papier cuisson. Étalez les épinards sur le fond de pâte, arrosez du reste d'huile d'olive et faites cuire la tarte au four encore 10 minutes. Servez chaud ou froid.

Potée de soja à la tomate et aux herbes

100 g de graines de soja jaune concassé précuit
150 g de riz rouge de Camargue
1 gros oignon doux
1 kg de tomates bien mûres
2 c. à s. d'huile d'olive
75 cl de bouillon de poule
1 c. à s. de tamari
8 c. à s. d'herbes ciselées (persil, coriandre, basilic)
sel, poivre

Préparation : 15 minutes
Cuisson : 40 minutes
Pour 4 personnes

Rincez le riz et plongez-le dans 50 cl d'eau bouillante salée. Laissez-le cuire 40 minutes environ à feu doux.

Ébouillantez les tomates puis pelez-les. Coupez-les en quatre, épépinez-les et concassez-les. Épluchez et hachez l'oignon.

Faites chauffer l'huile d'olive dans une cocotte en fonte, puis faites suer l'oignon 3 minutes à feu moyen. Incorporez les tomates et laissez mijoter 15 minutes.

Ajoutez le bouillon et le soja rincé dans la cocotte. Laissez cuire encore 15 minutes à petit feu. Quand le soja est tendre, assaisonnez avec le tamari, un peu de poivre et de sel si nécessaire.

Ajoutez le riz cuit et égoutté ainsi que les fines herbes. Servez chaud.

Conseil : un reste de riz cuit convient parfaitement pour cette recette.

Petits crumbles aux flocons de soja et aux légumes

200 g de potimarron
200 g de céleri-rave
1 cœur de chou vert (300 g environ)
1 oignon
1 c. à c. d'épices douces mélangées (cannelle, coriandre, muscade, girofle, cardamome)
2 c. à s. d'huile d'olive
sel, poivre
Pour le crumble :
100 g de flocons de soja
50 g de farine d'épeautre
75 g de beurre
1 pincée de sel

Préparation : 20 minutes
Cuisson : 30 minutes
Pour 4 personnes

Préparez la pâte à crumble : dans un saladier, mélangez la farine d'épeautre avec les flocons de soja. Ajoutez le beurre coupé en morceaux et le sel. Pétrissez le mélange du bout des doigts pour obtenir une consistance de sable un peu grossier. Couvrez et réservez au frais.

Préchauffez le four à 180 °C (thermostat 6).

Épluchez le potimarron et le céleri. Coupez-les en petits cubes.

Coupez le cœur de chou en quatre, rincez-le et supprimez la base dure. Hachez-le grossièrement. Épluchez et hachez l'oignon.

Faites chauffer l'huile d'olive dans une poêle puis faites suer l'oignon 2 minutes à feu moyen. Ajoutez les épices et tous les légumes. Salez, poivrez et laissez revenir le tout 5 minutes en mélangeant avec une spatule.

Répartissez les légumes cuits dans 4 plats à gratin individuels légèrement badigeonnés d'huile. Émiettez la pâte à crumble par-dessus.

Enfournez et laissez cuire les crumbles 25 à 30 minutes.

Petits gâteaux soja-coco

100 g de graines de soja jaune dépelliculées
4 feuilles de brick
50 g de noix de coco râpée
12,5 cl de lait de coco
70 g de sucre de canne
1 gousse de vanille
1 c. à s. de beurre fondu
1 pincée de sel

Préparation : 25 minutes
Trempage du soja : 2 heures
Cuisson : 1 h 15 environ
Pour 8 petits gâteaux

Faites tremper les graines de soja dans un bol d'eau froide pendant 2 heures. Rincez le soja et faites-le cuire à la vapeur pendant 1 heure environ, jusqu'à ce qu'il commence à se défaire. Laissez refroidir.

Préchauffez le four à 180 °C (thermostat 6).

Réduisez le soja en purée à l'aide d'une fourchette ou d'un robot en ajoutant la noix de coco râpée, le sucre, le sel et le lait de coco (utilisez la partie épaisse et crémeuse de ce dernier).

Fendez la gousse de vanille dans la longueur, récupérez les graines et ajoutez-les à la préparation.

Coupez les feuilles de brick en quatre de façon à obtenir 16 triangles. Au milieu d'un triangle déposez 1 cuillerée à soupe de purée au soja et rabattez les bords par-dessus. Posez un deuxième triangle dessus et repliez les bords en dessous sans trop serrer, car le soja gonfle un peu à la cuisson. Réalisez ainsi 7 autres petits gâteaux.

Placez les gâteaux sur une plaque à four huilée. À l'aide d'un pinceau, enduisez les gâteaux de beurre fondu. Enfournez et laissez cuire 15 à 20 minutes (si la surface dore trop vite, baissez le thermostat).

Attendez que les gâteaux refroidissent avant de les déguster.

Farine

et pâtes

Farine et pâtes de soja

La farine de soja se caractérise par un petit goût de noisette, comme la graine entière ou concassée. Cette farine ne contient pas de gluten, ce qui est bon à savoir pour ceux qui y sont allergiques.

Mais, pour cette même raison, la farine de soja ne peut pas faire lever les pâtes à pain ou à gâteaux. Pour cela, il faut l'associer à une céréale riche en gluten, comme le froment, l'épeautre ou le seigle.

En revanche, la farine de soja, même utilisée seule, donne d'excellentes pâtes. Vous trouverez dans le commerce (magasins diététiques et bio) des spaghettis, des tagliatelles ou encore des coquillettes au soja.

Pour élargir le champ des possibilités,
n'hésitez pas à réaliser vous-même vos pâtes.
Ce n'est pas difficile, la recette des « spaetzles » de ce livre vous le prouvera.

La farine de soja, mélangée à de l'eau, peut remplacer les œufs dans certaines préparations (pâtes à galettes, sauces liées, crèmes dessert). En règle générale, 1 cuillerée à soupe de farine de soja mélangée à 2 cuillerées à soupe d'eau équivaut à 1 œuf.

Essayez aussi cette variante de la recette basique des crêpes : mélangez 100 g de farine de soja avec 100 g de farine de riz, 45 cl de lait de soja (ou de riz, d'avoine, d'amandes...) et 1/2 cuillerée à café de sel fin. Faites cuire comme des crêpes classiques.

Dans le commerce (magasins bio), vous trou-
verez également des protéines de soja texturées,
faites à partir de farine de soja après extraction de l'huile. Il suffit de les réhydrater dans de l'eau chaude avant de les incorporer dans une sauce bolognaise, par exemple, pour remplacer la viande hachée ou mélanger les deux. ∎

Spaetzles au soja et crème de riz aux cèpes

Pour la pâte à spaetzles :
100 g de farine de soja
200 g de farine de blé
3 œufs
sel

Pour la sauce :
30 g de cèpes déshydratés
2 échalotes
20 cl de crème de riz
35 g de beurre
sel, poivre

Préparation : 20 minutes
Repos de la pâte : 1 heure
Cuisson : 30 minutes environ
Pour 4 personnes

Tamisez les farines au-dessus d'un saladier. Salez et mélangez. Faites un puits et cassez-y les œufs. Mélangez avec une cuillère en bois en versant peu à peu 20 cl d'eau pour obtenir une pâte à crêpes épaisse. Laissez reposer 1 heure.

Portez à ébullition 5 l d'eau et 1 cuillerée à café de sel. Versez 1 cuillerée de pâte au bord d'une petite planche et placez celle-ci au-dessus de la casserole. Avec d'un couteau, faites tomber des petits rubans de pâte dans l'eau frémissante, 7 ou 8 à la fois. Récupérez les spaetzles avec une écumoire quand ils remontent à la surface. Plongez-les aussitôt dans un bol d'eau froide, égouttez-les et mettez-les au fur et à mesure dans un grand plat.

Mettez les cèpes dans un bol, couvrez de 40 cl d'eau froide et laissez tremper 15 minutes. Épluchez et hachez finement les échalotes.

Faites fondre 20 g de beurre dans une casserole. Ajoutez les échalotes hachées et laissez suer 3 minutes. Incorporez les cèpes avec leur eau de trempage et laissez cuire à feu moyen 5 minutes. Salez, poivrez, ajoutez la crème de riz et laissez mijoter 15 minutes environ.

Faites chauffer une grande poêle à feu vif. Ajoutez le reste de beurre, baissez légèrement le feu et faites-y revenir les spaetzles jusqu'à ce qu'ils soient bien dorés. Servez-les chauds avec la sauce.

Pain aux 3 farines

100 g de farine de soja
200 g de farine de blé
200 g de farine de seigle
25 g de levain à l'épeautre
1 c. à c. de sel

Préparation : 15 minutes
Repos de la pâte : 3 heures
Cuisson : 25 minutes environ
Pour 4 personnes

Mélangez les différentes farines dans un saladier avec le levain et le sel. Ajoutez 35 cl d'eau tiède et malaxez le tout pour obtenir une pâte épaisse. Posez cette pâte sur le plan de travail légèrement fariné et pétrissez-la énergiquement pendant 10 à 15 minutes.

Roulez la pâte en boule et remettez-la dans le saladier fariné. Couvrez d'un torchon propre et laissez lever la pâte dans un endroit tiède à l'abri des courants d'air pendant 2 heures.

Pétrissez à nouveau la pâte rapidement pour la faire dégonfler. Formez une boule et posez-la sur la plaque du four farinée. À l'aide d'un couteau bien aiguisé, pratiquez quelques incisions sur la surface du pain et saupoudrez d'un peu de farine. Couvrez et laissez lever encore 1 h 30 dans un endroit tiède.

Préchauffez le four à 280-300 °C (thermostat 9-10).

Enfournez le pain et posez un petit bol d'eau chaude dans le bas du four. Au bout de 5 minutes, baissez le four à 210 °C (thermostat 7) et laissez cuire encore 20 minutes.

Sortez le pain du four et vérifiez s'il est cuit : tapez le dessous du pain avec les doigts. Si le son est creux, c'est qu'il est cuit. Sinon, poursuivez la cuisson quelques minutes.

Laissez refroidir le pain sur une grille, couvert d'un torchon pour éviter qu'il ne se dessèche.

Conseil : vous trouverez le levain à l'épeautre en sachets de 100 g dans les magasins bio.

Spaghettis à la farine de soja aux moules

400 g de spaghettis à la farine de soja
2 kg de moules de bouchot
1 poivron rouge
3 gousses d'ail
1 petit piment sec (peperoncino)
2 c. à s. d'huile d'olive
1/2 bouquet de persil
1 c. à c. de sel

Préparation : 20 minutes
Cuisson : 15 minutes environ
Pour 4 personnes

Lavez et grattez les moules sous un filet d'eau puis placez-les dans une grande marmite. Posez celle-ci sur feu vif, couvrez et faites ouvrir les moules (sans ajouter d'eau) en remuant plusieurs fois. Retirez la marmite du feu dès que toutes les moules sont ouvertes.

Portez à ébullition une grande casserole d'eau.

Filtrez les moules pour récupérer leur jus de cuisson. Décoquillez-les et gardez-les au chaud.

Épluchez et hachez les gousses d'ail. Lavez le poivron, coupez-le en deux et enlevez les peaux blanches et les graines. Taillez-le en dés.

Faites chauffer l'huile dans la marmite. Ajoutez l'ail, le poivron et le piment, et laissez suer 5 minutes à petit feu en remuant. Versez le jus des moules et laissez mijoter encore 5 minutes. Incorporez les moules et maintenez au chaud.

Ajoutez le sel dans la casserole d'eau bouillante et jetez-y les spaghettis. Reportez-vous au temps indiqué sur l'emballage pour la cuisson et remuez régulièrement : les pâtes doivent rester al dente.

Lavez et ciselez finement le persil.

Égouttez les pâtes et ajoutez-les dans la marmite. Parsemez de persil, mélangez et servez aussitôt.

Galettes à la farine de soja

100 g de farine de soja
100 g de farine d'épeautre (ou de froment)
1 c. à s. d'huile d'olive
huile d'arachide pour la cuisson
1 c. à c. de sel
poivre

Préparation : 5 minutes
Repos de la pâte : 30 minutes
Cuisson : 15 minutes environ
Pour 4 personnes

Délayez les deux farines avec 40 cl d'eau froide dans un saladier, en battant avec un fouet. Ajoutez l'huile d'olive et le sel. Mélangez bien : vous devez obtenir la consistance d'une pâte à crêpes (si nécessaire, ajoutez un peu d'eau). Laissez reposer la pâte pendant 30 minutes.

Faites chauffer une poêle de taille moyenne. Huilez-la légèrement et versez une louche de pâte assez fine en couvrant la poêle, pour que les galettes restent moelleuses. Laissez cuire 1 à 2 minutes de chaque côté.

Empilez les galettes au fur et à mesure sur une grande assiette et maintenez-les au chaud dans le four préchauffé (thermostat 1) en les couvrant.

Servez les galettes telles quelles, juste saupoudrées de poivre fraîchement moulu.

Pain au soja, aux algues et au sésame

75 g de farine de soja
200 g de farine de blé
200 g de farine 5 céréales
25 g de levain à l'épeautre
4 c. à s. d'algues en paillettes
5 c. à s. de graines de sésame
1 c. à c. de sel

Préparation : 15 minutes
Repos de la pâte : 3 h 30
Cuisson : 25 minutes environ
Pour 4 personnes

Réservez 2 cuillerées à soupe de graines de sésame. Mélangez tous les ingrédients dans un saladier. Ajoutez 40 cl d'eau tiède, malaxez pour obtenir une pâte épaisse. Sur le plan de travail fariné, pétrissez-la 10 à 15 minutes.

Roulez la pâte en boule et remettez-la dans le saladier fariné. Couvrez d'un torchon propre et laissez lever la pâte dans un endroit tiède à l'abri des courants d'air pendant 2 heures.

Pétrissez à nouveau la pâte rapidement pour la faire dégonfler. Formez un pain allongé. Badigeonnez le dessus d'eau froide avec un pinceau.

Étalez le reste des graines de sésame sur une planche. Roulez-y le dessus du pain et appuyez légèrement pour fixer les graines.

Posez le pain à l'endroit sur la plaque du four farinée, couvrez d'un torchon et laissez lever encore 1 h 30 environ (le pain doit doubler).

Préchauffez le four à 280-300 °C (thermostat 9-10). Enfournez le pain. Posez un bol d'eau chaude dans le bas du four. Après 5 minutes, baissez le four à 210 °C (thermostat 7) et laissez cuire encore 15 à 20 minutes.

Vérifiez si le pain est cuit (voir p. 38), laissez-le refroidir sur une grille, sous un torchon.

Crêpes à la farine de soja, crème aux dattes

75 g de farine de soja
175 g de farine de blé
2 œufs
60 cl de lait végétal (de soja, de riz…)
1 c. à s. de sucre semoule
2 pincées de sel
1 c. à s. d'huile d'arachide + pour la cuisson
Pour la crème :
150 g de dattes dénoyautées
20 cl de lait d'amandes
1 gousse de vanille
1 c. à s. de sucre semoule

Préparation : 15 minutes
Repos de la pâte : 1 heure
Cuisson : 15 à 20 minutes
Pour 4 personnes

Mélangez les deux farines dans un saladier avec le sel et le sucre. Ajoutez les œufs battus en omelette et délayez avec le lait. Couvrez la pâte et laissez reposer 1 heure.

Préparez la crème de dattes : coupez les dattes en gros morceaux et mettez-les dans le bol d'un mixeur. Fendez la gousse de vanille dans la longueur et récupérez les graines avec la pointe d'une lame de couteau. Ajoutez-les aux dattes ainsi que le sucre et le lait d'amandes, et mixez le tout pour obtenir une crème épaisse. Réservez dans un bol au frais.

Ajoutez 1 cuillerée à soupe d'huile dans la pâte et mélangez bien.

Faites chauffer une poêle à crêpes, graissez-la légèrement et versez une petite louche de pâte de façon à réaliser une crêpe assez fine. Faites cuire environ 1 minute de chaque côté. Continuez ainsi jusqu'à épuisement de la pâte.

Empilez les crêpes au fur et à mesure sur une grande assiette et gardez-les au chaud dans le four préchauffé à thermostat 1, en les couvrant.

Servez les crêpes accompagnées de crème aux dattes.

Cake au soja, au miel et à l'orange

50 g de farine de soja
100 g de farine de blé ou d'épeautre
75 g d'écorce d'orange confite
150 g de beurre ramolli
3 œufs à température ambiante
150 g de miel d'acacia ou d'oranger
2 c. à c. de levure chimique en poudre

Préparation : 15 minutes
Repos de la pâte : 30 minutes
Cuisson : 45 minutes
Pour 4 personnes

Préchauffez le four à 180 °C (thermostat 6).

Mélangez au fouet le beurre et le miel dans un saladier. Ajoutez les œufs un à un en fouettant à chaque fois.

Mélangez les deux farines avec la levure dans un grand bol. Ajoutez-les dans le saladier en fouettant. Placez la pâte au frais pendant 30 minutes.

Découpez l'écorce d'orange confite en dés. Mélangez ceux-ci à la pâte.

Versez la pâte dans un moule à cake de taille moyenne, beurré et fariné. Enfournez et laissez cuire 45 minutes. Si le cake dore trop vite, couvrez-le de papier cuisson et baissez le thermostat à 5. Pour vérifier la cuisson, piquez le cake avec la lame d'un petit couteau, qui doit en ressortir sèche. Sinon, poursuivez la cuisson quelques minutes.

Démoulez le cake cuit sur une grille et laissez refroidir.

Conseil : ce cake se conserve très bien plusieurs jours au frais, enveloppé de papier aluminium.

Crumble au soja et aux quetsches

500 g de quetsches
2 c. à s. de miel liquide (acacia, par exemple)
3 pincées de girofle en poudre
3 pincées de cannelle en poudre
Pour la pâte :
40 g de farine de soja
80 g de farine de blé ou d'épeautre
80 g de sucre de canne roux en poudre
80 g de beurre ramolli
1 pincée de sel

Préparation : 15 minutes
Repos de la pâte : 30 minutes
Cuisson : 25 minutes
Pour 4 personnes

Lavez les quetsches et dénoyautez-les en les coupant en quatre.

Mélangez les quetsches dans un saladier avec le miel et les épices. Déposez-les dans un plat à gratin légèrement beurré. Laissez reposer 30 minutes.

Préparez la pâte à crumble : dans un saladier, mélangez les deux farines avec le sucre et le sel. Ajoutez le beurre coupé en petits morceaux et pétrissez le tout avec les doigts de façon à obtenir une consistance de sable en peu grossier. Réservez au frais pendant 30 minutes.

Préchauffez le four à 180 °C (thermostat 6).

Émiettez la pâte à crumble sur la totalité des quetsches. Enfournez et laissez cuire 25 minutes environ : le dessus du crumble doit être doré. Servez chaud ou froid.

Huile de soja
et miso

tamari, shoyu

Huile de soja, tamari, shoyu et miso

L'huile de soja, extraite des graines du soja jaune, est intéressante sur le plan nutritionnel, à condition d'être non raffinée (magasins bio). D'une jolie couleur jaune doré, elle se reconnaît à son goût de fèves fraîches. C'est une huile très riche en acides gras poly-insaturés, dont les fameux oméga 3. Utilisez-la pour assaisonner vos salades et légumes ou pour réaliser une mayonnaise, par exemple. Conservez l'huile de soja à l'abri de la lumière, comme toutes les huiles non raffinées, et évitez de la chauffer. Un flacon entamé doit être consommé assez rapidement, car l'huile de soja rancit vite au contact de l'air.

Le tamari, à l'origine utilisé comme saumure pour le miso, est élaboré à partir de graines de soja jaunes fermentées, de sel marin et d'eau.

Le shoyu, fabriqué avec les mêmes ingrédients, contient en plus du blé (donc du gluten), ce qui adoucit son goût.

Très savoureuses, ces sauces aromatisent aussi bien une simple vinaigrette qu'une marinade ou une poêlée de tofu aux légumes.

Attention, lorsque vous les utilisez dans vos plats, n'ajoutez pas de sel !

Le miso, sorte de pâte issue d'une double fermentation des graines de soja, est un véritable condiment. Il remplace le sel, la moutarde ou encore le jus de viande.

Dans le commerce, vous trouverez plusieurs types de miso : le miso de riz (brun-rouge), le miso d'orge (brun clair), le miso de soja (hatcho miso, noir) et le shiro (jaune clair).

Les misos foncés ont fermenté plus longtemps et sont donc plus forts en goût.

On peut en mettre pratiquement partout : dans les sauces, bouillons, viandes, poissons, légumes et même dans les salades.

Si vous utilisez du miso non pasteurisé, il ne faut jamais le faire bouillir. Ajoutez-le après cuisson pour préserver les précieux enzymes, levures et lactobacilles qu'il renferme.

Les Japonais raffolent d'un autre produit élaboré avec des haricots de soja fermentés : le natto. Cet aliment, d'aspect très gluant et d'une odeur prononcée, se déguste avec du riz nature ou dans une soupe miso, par exemple.

Tous ces produits sont très digestes et extrêmement riches en éléments nutritifs grâce à la lactofermentation. ∎

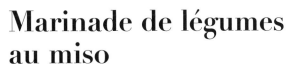

Marinade de légumes au miso

2 c. à c. de miso non pasteurisé
1 échalote
3 c. à s. de vinaigre balsamique
15 cl d'huile d'olive
2 c. à s. de fines herbes hachées
poivre

Préparation : 10 minutes
Réfrigération : 1 heure minimum
Pour 500 g environ de légumes grillés (ou de tofu)

Délayez le miso avec le vinaigre dans un plat en verre, inox ou porcelaine.

Épluchez et hachez l'échalote. Incorporez-la au miso en l'écrasant avec le dos d'une cuillère.

Ajoutez l'huile d'olive et les fines herbes. Poivrez légèrement et mélangez bien le tout.

Mettez les tranches de légumes grillés (ou le tofu) dans le plat puis retournez-les pour bien les enrober de marinade.

Couvrez le plat et réservez au réfrigérateur pendant 1 heure ou plus.

Servez les légumes (ou le tofu) marinés avec une salade.

Conseil : ainsi mariné, le tofu se garde plusieurs jours au réfrigérateur.
Le miso non pasteurisé est très riche en micro-organismes (enzymes, levures, lactobacilles…) excellents pour la santé. Pour ne pas les détruire, il faut éviter de cuire le miso.

Caviar d'algues à l'huile de soja et aux noisettes

5 c. à s. d'huile de soja
5 c. à s. d'algues séchées en paillettes
(dulse, laitue et nori mélangés, par exemple)
2 petits oignons nouveaux et leurs tiges vertes
le jus de 1/2 citron
30 g de noisettes décortiquées
sel, poivre

Préparation : 10 minutes
Cuisson : 2 minutes
Pour 4 personnes

 Mélangez les algues dans un bol avec 3 cuillerées à soupe d'eau froide pour les réhydrater.

Épluchez les petits oignons et hachez-les finement avec leurs tiges vertes.

Concassez les noisettes et torréfiez-les légèrement dans une poêle, à sec, en remuant avec une spatule.

Ajoutez dans le bol les oignons hachés, les noisettes grillées et le jus de citron. Mélangez et versez l'huile de soja, cuillère après cuillère, en remuant. Poivrez et salez éventuellement.

Servez le caviar d'algues sur des tartines de pain grillé.

Mayonnaise à l'huile de soja

15 cl d'huile de soja
1 jaune d'œuf très frais
1 c. à c. de moutarde
20 tiges de ciboulette (ou d'autres fines herbes)
sel, poivre

Préparation : 10 minutes
Réfrigération : 1 heure
Pour 4 à 6 personnes

Mélangez le jaune d'œuf avec la moutarde dans un bol à l'aide d'une cuillère en bois ou d'une fourchette.

Ajoutez un filet d'huile de soja et mélangez bien. Continuez à verser l'huile par petites quantités en mélangeant à chaque fois, jusqu'à ce que la mayonnaise commence à prendre.

Versez ensuite doucement l'huile restante tout en mélangeant. Si nécessaire, ajoutez un peu d'huile pour que la mayonnaise soit ferme. Salez et poivrez.

Lavez la ciboulette et ciselez-la au-dessus du bol. Mélangez et réservez au frais pendant 1 heure.

Conseil : vous pouvez remplacer la moutarde par 1 cuillerée à café de miso. Dans ce cas, ne salez pas la mayonnaise.

Vinaigrette à l'huile de soja et shoyu

4 c. à s. d'huile de soja
2 c. à c. de shoyu (sauce soja)
2 petits oignons nouveaux avec leurs tiges vertes
2 c. à s. d'herbes hachées (persil, coriandre, cerfeuil...)
1 c. à s. de vinaigre balsamique
poivre

Préparation : 5 minutes
Pour 4 à 6 personnes

Mélangez le vinaigre et le shoyu dans un bol. Poivrez mais ne salez pas. Ajoutez l'huile de soja en mélangeant avec une cuillère en bois.

Hachez finement la partie blanche des petits oignons. Ajoutez-les dans la sauce et écrasez-les légèrement avec le dos de la cuillère.

Incorporez les herbes hachées et ciselez finement les tiges vertes des oignons au-dessus du bol. Mélangez bien.

Hoummous à l'huile de soja et au shoyu

2 c. à s. d'huile de soja
250 g de pois chiches cuits
1 échalote
1 c. à s. de tahin (pâte de sésame)
2 c. à s. de shoyu (sauce soja)
le jus de 1 citron
1/2 c. à c. de harissa
1/2 bouquet de persil (ou de coriandre, menthe)

Préparation : 10 minutes
Réfrigération : 1 heure
Pour 4 personnes

Mixez ensemble les pois chiches, l'huile de soja, le tahin, le shoyu, le jus de citron et la harissa.

Épluchez l'échalote et coupez-la grossièrement. Lavez et effeuillez le persil.

Ajoutez le persil et l'échalote à la préparation et mixez à nouveau pour obtenir une crème homogène.

Versez le tout dans un bol et réservez au frais pendant 1 heure.

Servez le hoummous avec des tartines de pain grillé ou des crudités.

Sauce miso pour grillades

1 c. à s. de miso non pasteurisé
2 c. à s. de graines de sésame
1 morceau de gingembre frais de 2 cm
1 c. à s. de miel
le jus de 2 citrons moyens
8 c. à s. d'huile d'olive
poivre

Préparation : 10 minutes
Pour 4 personnes

Délayez le miso dans un bol avec le miel et le jus des citrons.

Pelez et râpez le gingembre. Ajoutez-le dans le bol.

Torréfiez les graines de sésame dans une poêle, à sec, à feu moyen, en remuant avec une spatule. Incorporez-les à la sauce, poivrez et mélangez bien.

Versez l'huile d'olive, cuillerée après cuillerée, en mélangeant à chaque fois.

Servez cette sauce avec des grillades de viande ou de poisson (ou du tofu grillé).

Marinade au tamari

15 cl d'huile de soja
5 cl de tamari
3 c. à s. de vinaigre de cidre
1 c. à s. de miel
2 gousses d'ail
1 morceau de gingembre frais de 2 cm
poivre

Préparation : 10 minutes
Réfrigération : 3 heures environ
**Pour environ 1 kg de tofu (de viande
ou poisson) coupé en morceaux et destiné
à être cuit**

Épluchez les gousses d'ail et pressez-les.
Pelez et râpez le gingembre.

Versez le tamari et le vinaigre dans un
récipient à bords hauts en verre, inox ou
porcelaine. Ajoutez le miel et mélangez avec
une cuillère jusqu'à ce qu'il soit bien fondu.

Ajoutez l'ail et le gingembre dans le récipient, poivrez et versez l'huile en mélangeant.

Mettez les morceaux de tofu (de viande
ou poisson) dans le plat et retournez-les
pour bien les imbiber de marinade. Couvrez
et réservez au frais 3 heures environ (en
retournant les morceaux plusieurs fois).

Égouttez les morceaux de tofu avant de
les cuire.

Dip au miso et au yaourt

1 c. à s. de miso
2 yaourts nature au lait entier
2 c. à s. de vinaigre de miel
2 gousses d'ail
1/2 bouquet de menthe
poivre

Préparation : 10 minutes
Réfrigération : 1 heure
Pour 4 personnes

Délayez le miso dans un bol avec le vinaigre.

Épluchez et pressez les gousses d'ail. Ajoutez-les au mélange.

Lavez et effeuillez la menthe, puis hachez-la
finement.

Ajoutez dans le bol les yaourts et la menthe
hachée. Poivrez légèrement et mélangez le
tout.

Couvrez et placez le bol au réfrigérateur
pendant 1 heure.

Servez le dip au miso avec des crudités,
par exemple.

Tofu et

tempeh

Tofu et tempeh

Le tofu est une sorte de fromage frais à base de lait de soja caillé. Il a un goût très doux, presque neutre et une texture plus ou moins ferme.

Le soja ferme se coupe en tranches pour être mariné ou poêlé ; le soja soyeux est idéal pour remplacer le lait et la crème dans les desserts. En mixant les deux, on obtient une excellente base pour des farces, par exemple.

Quelle que soit son utilisation, le tofu a besoin d'être relevé par des épices, des aromates, des sauces…

Dans le commerce, vous trouverez également des tofus déjà aromatisés, aux olives, aux fines herbes ou fumé.

L'intérêt du tofu est multiple : il peut remplacer la viande dans un curry, accompagner des légumes ou farcir des pâtes, car ses protéines sont équivalentes à celles d'un steak. Mais il se substitue également aux œufs et aux produits laitiers dans nombre de plats et de desserts : quiches, tiramisus et mayonnaises gagnent en légèreté !

Vous pouvez facilement fabriquer vous-même votre tofu : délayez 1 cuillerée à café de nigari – chlorure de magnésium (en magasins bio) – dans un petit verre d'eau.

Faites chauffer 1 litre de lait de soja dans une casserole à feu vif en remuant. Hors du feu, ajoutez le nigari dilué en mélangeant : le lait caillé va se déposer au fond de la casserole.

Versez le tofu dans une faisselle ou un tamis garni d'un voile de coton. Rabattez le voile sur le tofu et posez un poids par-dessus pendant 15 minutes. Selon le poids et le temps de pression, vous obtenez un tofu plus ou moins ferme.

Démoulez le tofu dans l'eau froide et rincez-le longuement sous le robinet. Conservez votre tofu maison dans un récipient rempli d'eau froide au réfrigérateur, en changeant l'eau tous les jours.

Le tempeh, issu de la fermentation de graines de soja jaunes immatures, est de texture ferme et d'une saveur qui rappelle celle des noix et des champignons. On le déguste coupé en tranches et frit (particulièrement savoureux dans les soupes) ou encore haché dans des farces, comme le tofu. ■

Tofu pané

500 g de tofu nature
4 c. à s. de tamari
6 c. à s. de chapelure
2 c. à s. de levure de bière en paillettes
2 c. à c. d'herbes de Provence séchées
sel, poivre

Préparation : 10 minutes
Cuisson : 15 minutes
Pour 4 personnes

Préchauffez le four à 190-200 °C (thermostat 6-7). Dans une assiette creuse, mélangez la chapelure avec la levure de bière, les herbes de Provence, du sel et du poivre.

Versez le tamari dans une deuxième assiette creuse. Coupez le tofu en tranches de 1,5 cm d'épaisseur environ.

Déposez les tranches de tofu d'abord dans le tamari, puis dans la panure.

Placez le tofu pané sur la plaque du four recouverte de papier cuisson huilé. Enfournez et laissez cuire 10 minutes. Retournez les tranches de tofu et poursuivez la cuisson 5 minutes : elles doivent être bien dorées. Servez avec une salade ou des légumes et de la sauce soja.

Conseil : vous pouvez également réaliser cette recette avec du tempeh. Les variations de cette recette sont infinies : il suffit de changer les aromates, de remplacer la levure de bière par des algues en paillettes, d'ajouter des fines herbes, du parmesan râpé, des épices…

Salade de chou blanc au tofu fumé

300 g de tofu fumé
1/2 chou blanc (800 g)
1 échalote
1 botte de ciboulette
4 c. à s. de graines de tournesol
4 c. à s. d'huile de tournesol
3 c. à s. de vinaigre de cidre
sel, poivre

Préparation : 15 minutes
Macération : 2 heures
Pour 4 personnes

Supprimez les feuilles extérieures et le tronc dur du chou et émincez-le finement. Épluchez et hachez l'échalote.

Mélangez le vinaigre avec du sel et du poivre dans un saladier. Ajoutez l'échalote hachée et l'huile en remuant.

Incorporez le chou émincé dans la vinaigrette et mélangez bien. Couvrez le saladier et laissez macérer à température ambiante pendant 2 heures.

Torréfiez à sec les graines de tournesol dans une poêle, à feu moyen, en remuant constamment avec une spatule. Laissez refroidir.

Coupez le tofu en dés. Lavez et ciselez la ciboulette.

Mélangez le tofu, les graines de tournesol et la ciboulette avec le chou.

Servez bien frais.

Salade au tofu, aux olives et pignons

250 g de tofu aux olives
250 g de salades mélangées
1 gousse d'ail
1 petit bouquet de basilic
2 c. à s. de pignons
1 c. à s. de vinaigre balsamique
5 c. à s. d'huile d'olive
sel, poivre

Préparation : 10 minutes
Pour 4 personnes

Lavez et essorez la salade. Épluchez la gousse d'ail. Lavez le basilic.

Mixez ensemble l'ail, le basilic et l'huile d'olive (vous pouvez également vous servir d'un mortier).

Versez le vinaigre dans un bol et mélangez avec du sel et du poivre. Ajoutez l'huile au basilic et mélangez bien.

Répartissez la salade dans 4 assiettes.

Coupez le tofu en tranches assez fines et disposez-les sur la salade.

Arrosez de sauce au tofu et parsemez de pignons. Servez aussitôt.

Salade de jeunes pousses et brochettes de tofu mariné

400 g de tofu nature
200 g de jeunes pousses (épinards, betterave, roquette, cresson, mâche, moutarde...)
3 c. à s. de shoyu
1 c. à s. de vinaigre balsamique
1 gousse d'ail
6 c. à s. d'huile d'olive
5 c. à s. de graines de sésame
sel, poivre

Préparation : 15 minutes
Marinade : 2 heures
Cuisson : 5 minutes
Pour 4 personnes

Préparez la marinade dans un plat en verre, inox ou porcelaine : versez le vinaigre et le shoyu. Ajoutez l'ail épluché et haché, et 4 cuillerées à soupe d'huile d'olive. Salez très légèrement, poivrez et mélangez bien le tout.

Coupez le tofu en cubes de 2 cm de côté et déposez-les dans la marinade. Mélangez, couvrez et placez au frais pendant 2 heures.

Torréfiez à sec les graines de sésame dans une poêle, à feu moyen, en remuant constamment avec une spatule. Réservez dans un bol.

Lavez et essorez les jeunes pousses, puis répartissez-les dans 4 assiettes.

Faites chauffer le reste d'huile d'olive dans la poêle. Enfilez les cubes de tofu égouttés sur 8 piques en bois et faites-les dorer de tous côtés à feu moyen.

Placez 2 brochettes de tofu dans chaque assiette et parsemez de graines de sésame grillées. Arrosez la salade de marinade et servez.

Galettes aux flocons de céréales, au tofu et aux algues

200 g de tofu nature
2 c. à s. de flocons de céréales (avoine, épeautre…)
1 œuf
1 échalote
4 c. à s. de lait de soja
2 c. à s. d'algues en paillettes
2 c. à s. de graines de sésame grillées
2 c. à s. d'huile d'olive
sel, poivre

Préparation : 10 minutes
Cuisson : 6 minutes environ
Pour 4 personnes

Faites tremper les flocons de céréales dans le lait de soja pendant 15 minutes.

Épluchez l'échalote et hachez-la grossièrement.

Mixez le tofu avec l'échalote, l'œuf entier, du sel et poivre. Ajoutez les algues, les graines de sésame et les flocons ramollis. Malaxez bien le tout et façonnez des petites galettes un peu épaisses à la main.

Faites chauffer l'huile d'olive dans une grande poêle et déposez les galettes. Laissez-les cuire 3 minutes de chaque côté afin qu'elles soient bien dorées.

Servez avec des légumes ou une salade verte.

Tofu mariné au basilic et tomates confites

300 g de tofu nature
8 tomates mûres
1 bouquet de basilic
1 gousse d'ail
1 c. à s. de vinaigre
7 c. à s. d'huile d'olive
1 c. à s. de sucre semoule
sel, poivre

Préparation : 15 minutes
Cuisson : 2 h 30
Pour 4 personnes

Préchauffez le four à 90 °C (thermostat 3).

Lavez les tomates et coupez-les en deux. Placez les demi-tomates sur la plaque du four légèrement huilée et saupoudrez-les de sucre. Salez, poivrez et arrosez avec 2 cuillerées à soupe d'huile d'olive.

Glissez la plaque dans le four et laissez cuire environ 2 h 30 jusqu'à ce que les tomates soient bien desséchées. Laissez refroidir.

Lavez le basilic. Épluchez la gousse d'ail.

Mixez ensemble le basilic, l'ail, le vinaigre et le reste d'huile d'olive. Salez, poivrez et versez cette sauce dans un plat en verre, inox ou porcelaine.

Coupez le tofu en cubes et ajoutez-les dans la sauce. Retournez-les pour bien les imprégner de marinade, couvrez et réservez au frais le temps de cuisson des tomates.

Servez le tofu mariné avec les tomates et accompagnez d'une salade verte.

Soupe au tempeh frit et au curry

300 g de tempeh
2 tomates
1 petit oignon
1 branche de céleri
1 morceau de gingembre frais de 2 cm
2 c. à s. de ciboulette hachée
40 cl de lait de coco (1 boîte)
1 c. à s. de curry
3 c. à s. d'huile d'olive
sel, poivre

Préparation : 15 minutes
Cuisson : 20 minutes
Pour 4 personnes

Épluchez et hachez l'oignon. Lavez et émincez le céleri.

Ébouillantez les tomates quelques secondes, puis pelez-les et coupez-les en dés en enlevant les graines.

Faites chauffer 1 cuillerée à soupe d'huile d'olive dans une marmite. Ajoutez l'oignon et le céleri, et laissez suer 3 minutes en remuant. Incorporez le curry, les tomates et le gingembre épluché et râpé. Mélangez et laissez cuire encore 3 minutes.

Versez le lait de coco dans la marmite et ajoutez 60 cl d'eau. Salez, poivrez et laissez mijoter 15 minutes.

Coupez le tempeh en tranches puis chaque tranche en quatre.

Faites chauffer le reste d'huile dans une poêle et mettez à dorer les morceaux de tempeh de tous côtés.

Versez la soupe dans 4 bols et répartissez le tempeh frit. Parsemez de ciboulette hachée et servez aussitôt.

Soupe miso au tofu

300 g de tofu nature
1 carotte
1 blanc de poireau
2 navets
1 morceau de gingembre frais de 2 cm
1 gousse d'ail
1 litre de bouillon de légumes non salé
1 petit bouquet de coriandre
2 c. à s. de miso
2 c. à s. d'algues en paillettes

Préparation : 10 minutes
Cuisson : 15 minutes
Pour 4 personnes

Faites chauffer le bouillon de légumes dans une casserole et amenez à ébullition.

Épluchez la carotte et les navets. Lavez le blanc de poireau.

Coupez tous ces légumes en fine julienne (ou râpez-les). Plongez-les dans le bouillon en ébullition. Ajoutez le gingembre épluché et râpé ainsi que la gousse d'ail épluchée et pressée. Laissez mijoter à feu moyen pendant 15 minutes environ.

Coupez le tofu en dés. Lavez et ciselez finement la coriandre.

Retirez la casserole du feu lorsque les légumes sont tendres. Prélevez 1 tasse de bouillon pour y délayer le miso. Reversez le mélange dans la casserole et ajoutez les algues.

Répartissez les dés de tofu et la coriandre dans 4 grands bols. Versez le bouillon au miso par-dessus et servez très chaud.

Soupe chinoise au tofu

150 g de tofu nature
20 g de champignons noirs séchés
(oreilles de Judas)
1,5 litre de bouillon de légumes non salé
1 carotte
1 courgette
3 oignons nouveaux
1 morceau de gingembre frais de 3 cm
120 g de vermicelles de riz
2 c. à s. de tamari
1 c. à s. de vinaigre de riz
2 c. à s. d'huile de sésame
4 c. à s. de coriandre hachée
sel, poivre

Préparation : 15 minutes
Cuisson : 15 minutes
Pour 4 personnes

Réhydratez les champignons noirs 15 minutes dans un bol d'eau chaude. Faites chauffer le bouillon dans une marmite.

Épluchez la carotte et taillez-la en julienne. Lavez la courgette et taillez-la également en julienne. Pelez les petits oignons et émincez-les finement avec leurs tiges. Épluchez le gingembre et coupez-le en fines lamelles. Coupez le tofu en petits cubes.

Déposez tous les ingrédients ci-dessus dans la marmite. Ajoutez les champignons égouttés et émincés, les vermicelles, salez et poivrez. Amenez à ébullition, couvrez puis baissez le feu et laissez mijoter 15 minutes à feu moyen. Hors du feu, assaisonnez la soupe avec le tamari, le vinaigre de riz et l'huile de sésame.

Versez dans des bols et parsemez de coriandre hachée.

Crème de poireaux au tofu soyeux

200 g de tofu soyeux
500 g de poireaux
1 c. à s. de purée d'amandes
4 c. à s. d'huile d'olive
1 petit bouquet de cerfeuil
4 tranches de pain de campagne
sel, poivre

Préparation : 15 minutes
Cuisson : 25 minutes
Pour 4 personnes

Lavez les poireaux et supprimez le dernier tiers de la partie verte. Émincez-les grossiè-rement.

Faites chauffer 2 cuillerées à soupe d'huile d'olive dans une cocotte. Ajoutez les poireaux émincés et laissez suer 5 minutes en remuant.

Versez 75 cl d'eau dans la cocotte, salez et poivrez. Couvrez et laissez cuire à feu doux pendant 20 minutes.

Ajoutez aux poireaux la purée d'amandes et le tofu, et mixez le tout. Réservez au chaud.

Coupez le pain de campagne en cubes et faites-les dorer dans une poêle avec l'huile d'olive restante. Lavez, effeuillez et ciselez finement le cerfeuil.

Versez la crème de poireaux dans les bols ou assiettes. Répartissez les cubes de pain et parsemez de cerfeuil.

Aubergines farcies au tofu et au millet

250 g de tofu soyeux
2 aubergines
50 g de millet
2 gousses d'ail
1 oignon
1 bouquet de coriandre
1 c. à c. de cumin moulu
5 c. à s. d'huile d'olive
sel, poivre

Préparation : 20 minutes
Cuisson : 1 h 10 environ
Pour 4 personnes

Faites dorer le millet à sec dans une casserole. Ajoutez 20 cl d'eau bouillante, couvrez et faites cuire 20 minutes à feu doux. Salez et laissez refroidir.

Lavez les aubergines et coupez-les en deux. Creusez chaque moitié avec une cuillère de façon à laisser 1 à 2 cm de chair sur la peau. Réservez cette chair.

Faites chauffer 1 cuillerée à soupe d'huile d'olive dans une poêle. Déposez les aubergines, côté creux en dessous, et faites-les revenir 10 minutes à feu doux.

Hachez grossièrement la chair d'aubergine réservée. Épluchez et hachez l'ail et l'oignon. Faites revenir le tout 10 minutes avec 2 cuillerées à soupe d'huile d'olive.

Préchauffez le four à 180 °C (thermostat 6). Lavez et effeuillez la coriandre.

Mixez le tofu avec les feuilles de coriandre, 1 cuillerée à soupe d'huile d'olive et le cumin. Ajoutez le millet et la chair d'aubergine. Salez, poivrez et mélangez bien.

Remplissez les moitiés d'aubergine de cette farce.

Placez-les dans un plat à gratin huilé et ajoutez un petit verre d'eau. Enfournez et laissez cuire 45 minutes.

Lasagnes au tofu et aux olives

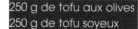
250 g de tofu aux olives
250 g de tofu soyeux
8 feuilles de lasagnes rectangulaires
(ou 16 carrées)
1 gousse d'ail
100 g d'olives dénoyautées
75 cl de sauce tomate au basilic
1 c. à s. d'huile d'olive
75 g de parmesan râpé
sel, poivre

Préparation : 15 minutes
Cuisson : 30 minutes
Pour 4 personnes

Préchauffez le four à 180 °C (thermostat 6).

Mixez les deux tofus avec l'ail épluché, l'huile d'olive, du sel et poivre. Ajoutez les olives hachées grossièrement et mélangez.

Versez une petite louche de sauce tomate dans le fond d'un plat à gratin rectangulaire. Déposez 2 (4) feuilles de lasagnes, garnissez de quelques cuillerées de tofu aux olives et recouvrez de 2 feuilles de lasagnes.

Garnissez à nouveau de tofu aux olives et répétez l'opération deux fois en terminant par une couche de sauce tomate. Saupoudrez de parmesan.

Enfournez et laissez cuire 30 minutes. Servez chaud.

Cannellonis au tofu et aux blettes

250 g de tofu nature
250 g de tofu soyeux
16 carrés de pâte à lasagnes
les feuilles vertes de 1 botte de blettes
150 g de lard fumé
50 cl de sauce tomate
2 c. à s. de parmesan râpé
1/2 c. à c. de noix de muscade moulue
sel, poivre

Préparation : 30 minutes
Cuisson : 1 heure
Pour 4 personnes

Faites cuire les carrés de pâte al dente dans une grande quantité d'eau bouillante salée. Égouttez-les, passez-les sous l'eau froide et étalez-les sur un linge.

Lavez les feuilles de blettes et blanchissez-les à l'eau bouillante salée pendant 5 minutes. Égouttez-les et laissez-les refroidir.

Préchauffez le four à 180 °C (thermostat 6).

Mixez ensemble les deux tofus. Assaisonnez de sel, poivre, muscade puis ajoutez les blettes grossièrement hachées.

Supprimez la couenne du lard et coupez celui-ci en petits dés. Ajoutez-les au mélange tofu-blettes.

Étalez 2 à 3 cuillerées à soupe de cette farce à l'extrémité d'un carré de pâte et enroulez-le pour former un cannelloni. Procédez ainsi avec le reste des ingrédients.

Versez la moitié de la sauce tomate dans le fond d'un plat à gratin. Placez les cannellonis côte à côte et recouvrez du reste de sauce tomate. Saupoudrez de parmesan.

Enfournez et laissez cuire 45 minutes.

Tarte au tofu, au pavot et aux raisins

150 g de tofu soyeux
100 g de graines de pavot
15 cl de lait d'amandes
150 g de sucre de canne
100 g de raisins secs
10 cl d'eau de fleur d'oranger (ou du rhum)
Pour la pâte :
150 g de farine de blé
100 g de beurre
1 c. à s. de sucre de canne
1 pincée de sel

Préparation : 15 minutes
Trempage des raisins : 1 nuit
Repos de la pâte : 30 minutes
Cuisson : 30 minutes
Pour 4 à 6 personnes

La veille : faites tremper les raisins secs dans l'eau de fleur d'oranger.

Le jour-même : préparez la pâte brisée. Dans un saladier, mélangez la farine avec le sucre et la pincée de sel. Ajoutez le beurre coupé en petits morceaux et 2 cuillerées à soupe d'eau froide. Pétrissez rapidement du bout des doigts en écrasant le beurre. Roulez la pâte en boule, enveloppez-la de film alimentaire et placez-la au frais pendant 30 minutes.

Préchauffez le four à 210 °C (thermostat 7). Faites chauffer le lait d'amandes.

Mettez le pavot dans un saladier et versez le lait bouillant par-dessus. Ajoutez le tofu soyeux et le sucre. Mélangez bien le tout.

Posez la pâte sur le plan de travail légèrement fariné et écrasez-la avec la paume de la main. Roulez-la de nouveau en boule et répétez l'opération deux fois.

Étalez la pâte au rouleau et déposez-la dans un moule à tarte moyen. Piquez-la régulièrement avec les dents d'une fourchette et recouvrez de papier cuisson. Remplissez de légumes secs et faites cuire la pâte à blanc pendant 10 minutes.

Enlevez les légumes secs et le papier cuisson. Incorporez les raisins avec l'eau de fleur d'oranger à la préparation au pavot. Versez sur la pâte et lissez avec une cuillère.

Enfournez, baissez le thermostat à 6 et laissez cuire 20 minutes. Servez la tarte tiède ou froide.

Quiche au tofu
et au maquereau fumé

400 g de tofu soyeux
250 g de maquereau fumé
4 petits oignons nouveaux
1 bouquet d'aneth
1 c. à s. d'huile d'olive
sel, poivre
Pour la pâte :
150 g de farine de blé ou d'épeautre
75 g de beurre
2 pincées de sel

Préparation : 20 minutes
Repos pour la pâte : 30 minutes
Cuisson : 40 minutes
Pour 4 personnes

Préparez une pâte brisée : versez la farine dans un saladier, ajoutez le sel, le beurre coupé en petits morceaux et 2 cuillerées à soupe d'eau. Pétrissez rapidement les ingrédients en écrasant les morceaux de beurre entre vos doigts. Roulez la pâte en boule, enveloppez-la de film alimentaire et laissez-la reposer 30 minutes au frais.

Enlevez la peau du maquereau et émiettez la chair en éliminant les arêtes.

Épluchez les petits oignons et émincez-les avec leurs tiges. Faites-les revenir à la poêle avec l'huile d'olive pendant 5 minutes.

Préchauffez le four à 210 °C (thermostat 7). Mettez le tofu dans un saladier et battez-le au fouet pour l'assouplir. Ajoutez les miettes de maquereau, les oignons et l'aneth ciselé. Salez, poivrez et mélangez.

Posez la pâte sur le plan de travail légèrement fariné et écrasez-la avec la paume de la main. Roulez-la de nouveau en boule et recommencez l'opération deux fois.

Étalez la pâte au rouleau puis déposez-la dans un moule à manqué moyen. Piquez-la régulièrement avec les dents d'une fourchette et recouvrez de papier cuisson. Remplissez le fond de tarte de légumes secs et faites cuire la pâte à blanc pendant 10 à 15 minutes.

Enlevez les légumes secs et le papier cuisson puis versez la préparation au tofu sur la pâte. Enfournez à nouveau, baissez le thermostat à 6 et laissez cuire 20 minutes.

Samosas au tofu et légumes au curry

250 g de tofu soyeux
10 feuilles de riz
2 carottes
1 branche de céleri
1 oignon
2 gousses d'ail
1/2 c. à c. de gingembre frais râpé
1 c. à s. de curry
1/2 c. à c. de cumin moulu
50 g d'huile de palme
3 c. à s. d'huile d'olive
sel, poivre

Préparation : 15 minutes
Cuisson : 30 minutes
Pour 30 samosas

Épluchez et râpez les carottes. Lavez et hachez le céleri. Pelez et hachez l'oignon et l'ail.

Faites chauffer 1 cuillerée à soupe d'huile d'olive dans une poêle. Ajoutez tous les légumes puis les épices et faites revenir le tout 3 minutes. Baissez le feu et laissez mijoter 7 minutes en remuant. Laissez refroidir.

Préchauffez le four à 200 °C (thermostat 6-7).

Mixez le tofu avec du sel et du poivre. Ajoutez les légumes au curry et mélangez.

Coupez les feuilles de riz en bandes d'environ 6 cm de large.

Déposez 1 cuillerée à soupe de la préparation au tofu sur l'extrémité gauche d'une bande de feuille de riz. Repliez la feuille, une fois à droite, une fois à gauche, de manière à former des triangles successifs. Procédez de la même façon pour le reste des ingrédients.

Faites chauffer l'huile de palme dans une grande poêle. Ajoutez la moitié des samosas et faites-les frire des deux côtés jusqu'à ce qu'ils soient bien dorés. Enlevez les samosas avec une écumoire et posez-les sur une assiette tapissée de papier absorbant. Gardez au chaud. Faites frire l'autre moitié des samosas.

Servez chaud.

Conseil : vous trouverez les feuilles de riz en épicerie asiatique.

Tempeh et légumes sautés au wok

400 g de tempeh nature
1/4 de chou chinois (ou chou vert)
2 carottes
1 poivron rouge
1 échalote
1 gousse d'ail
1 morceau de gingembre frais de 3 cm
1 petit bouquet de coriandre
20 g d'huile de palme
2 c. à s. de tamari
1 c. à s. d'huile de sésame
sel, poivre

Préparation : 15 minutes
Cuisson : 12 minutes
Pour 4 personnes

Épluchez les carottes. Lavez le chou et le poivron. Taillez tous ces légumes en fine julienne.

Épluchez et hachez l'échalote, l'ail et le gingembre. Coupez le tempeh en dés.

Faites chauffer l'huile de palme dans un wok ou une grande poêle. Ajoutez les dés de tempeh et faites-les dorer de tous les côtés pendant 3 minutes. Égouttez-les sur un papier absorbant. Dans la même poêle, faites frire 1 minute le hachis d'échalote, d'ail et de gingembre.

Ajoutez la julienne de légumes, salez, poivrez et laissez frire 7 à 8 minutes en remuant. Remettez les dés de tempeh dans le wok et continuez la cuisson pendant 1 minute en mélangeant.

Lavez et hachez la coriandre. Hors du feu, assaisonnez la préparation avec le tamari et l'huile de sésame.

Parsemez de coriandre hachée et servez.

Conseil : vous trouverez l'huile de palme en plaquette (comme du beurre) dans les magasins bio. Cette huile supporte très bien les cuissons à température élevée.

Curry de légumes au tofu

300 g de tofu nature
1 aubergine
2 carottes
250 g de chou-fleur
2 petites courgettes
4 petites pommes de terre à chair ferme
2 oignons
3 gousses d'ail
2 yaourts entiers nature
1/2 c. à c. de gingembre frais râpé
1 c. à s. de pâte de curry (ou curry en poudre)
1 petit bouquet de coriandre
2 c. à s. d'huile de palme
sel

Préparation : 25 minutes
Cuisson : 30 minutes
Pour 4 personnes

Épluchez et hachez les oignons et l'ail. Pelez et émincez les carottes. Épluchez les pommes de terre et coupez-les en quatre. Lavez les autres légumes, coupez l'aubergine en cubes, le chou-fleur en petits bouquets et les courgettes en tranches.

Faites chauffer l'huile de palme dans une cocotte. Ajoutez le hachis d'ail et d'oignon et le gingembre ; laissez revenir à feu doux 3 minutes en remuant. Incorporez la pâte de curry et mélangez bien.

Mettez ensuite tous les légumes dans la cocotte, mélangez et faites revenir le tout 3 minutes. Salez et recouvrez d'eau. Laissez mijoter à feu moyen à couvert pendant 20 minutes.

Coupez le tofu en cubes et ajoutez-les dans la cocotte. Poursuivez la cuisson pendant 5 minutes. Hors du feu, ajoutez les yaourts et mélangez.

Lavez et ciselez la coriandre.

Servez le curry parsemé de coriandre et accompagné d'un riz nature.

Lentilles au tofu fumé et au miso

500 g de tofu fumé
250 g de lentilles
2 carottes
1 oignon
2 échalotes
2 gousses d'ail
1/2 bouquet de persil plat
1 c. à s. de miso
3 c. à s. d'huile d'olive
sel, poivre

Préparation : 25 minutes
Cuisson : 40 minutes environ
Pour 4 personnes

Épluchez et hachez les carottes, l'oignon, l'ail et les échalotes.

Faites chauffer 1 cuillerée à soupe d'huile d'olive dans une cocotte. Ajoutez les légumes hachés et laissez-les revenir 5 minutes en mélangeant.

Rincez les lentilles et mettez-les dans la cocotte. Mélangez pendant 2 minutes puis ajoutez 2 verres d'eau, de façon à juste couvrir les lentilles. Laissez mijoter à feu doux 30 minutes environ : les lentilles doivent être tendres mais encore fermes. (Si nécessaire, ajoutez un peu d'eau en cours de cuisson.)

Coupez le tofu en tranches pas trop fines et faites-les dorer à la poêle des deux côtés avec le reste d'huile d'olive.

Lavez et ciselez le persil. Délayez le miso dans une petite tasse d'eau chaude. Quand les lentilles sont cuites, retirez la cocotte du feu et incorporez le miso.

Déposez les tranches de tofu sur les lentilles et servez parsemé de persil.

Tofu brouillé à la menthe

500 g de tofu soyeux
3 oignons nouveaux
1 bouquet de menthe
2 c. à s. d'huile d'olive
sel, poivre

Préparation : 10 minutes
Cuisson : 7 minutes
Pour 4 personnes

 Épluchez les petits oignons et hachez-les avec leurs tiges. Lavez et ciselez la menthe.

Mettez le tofu dans un saladier et ajoutez la menthe. Salez, poivrez et mélangez au fouet.

Faites chauffer l'huile d'olive dans une poêle. Ajoutez les oignons hachés et laissez revenir 2 minutes en remuant.

Versez le tofu à la menthe sur les oignons et faites cuire 5 minutes en mélangeant avec une spatule en bois.

Servez accompagné de tamari ou de shoyu.

Gratin au tofu et aux abricots

250 g de tofu soyeux
8 beaux abricots mûrs
3 œufs
150 g de farine d'épeautre
80 g de sucre semoule
sucre glace
50 g de poudre d'amandes
3 gouttes d'essence d'amandes amères
1 c. à s. de beurre ramolli
sel

Préparation : 15 minutes
Cuisson : 35 à 40 minutes
Pour 4 personnes

Préchauffez le four à 180 °C (thermostat 6).

Lavez les abricots, coupez-les en deux et dénoyautez-les.

Séparez les blancs des jaunes d'œufs. Fouettez les jaunes avec le sucre semoule pour les rendre mousseux. Ajoutez le tofu soyeux et mélangez bien au fouet. Incorporez la farine tamisée, la poudre et l'essence d'amandes.

Montez les blancs en neige ferme avec 1 pincée de sel. Incorporez-les à la crème au tofu en soulevant avec une spatule.

Versez la préparation dans un plat à gratin beurré. Déposez les abricots dessus, face bombée en dessous. Enfournez et laissez cuire 35 minutes environ : la surface doit être bien dorée.

Servez le gratin tiède ou froid, saupoudré de sucre glace.

Tiramisu au tofu soyeux et aux framboises

300 g de tofu soyeux
4 œufs
100 g de sucre semoule
1 gousse de vanille
250 g de framboises (ou de mûres)
1 boîte de biscuits à la cuiller (250 g)
20 cl de jus de raisin noir
8 c. à s. de coulis de framboises

Préparation : 20 minutes
Réfrigération : 6 heures
Pour 6 personnes

Séparez les blancs d'œufs des jaunes. Dans un saladier, fouettez les jaunes avec le sucre pour qu'ils blanchissent et deviennent mousseux.

Fendez la gousse de vanille et raclez les graines avec la pointe d'un couteau.

Mixez ensemble le tofu, les graines de vanille et les framboises. Ajoutez le mélange aux jaunes d'œufs et fouettez pour obtenir une crème homogène.

Montez les blancs en neige ferme et incorporez-les délicatement à la crème au tofu à l'aide d'une spatule.

Versez le jus de raisin dans une assiette creuse et trempez-y rapidement la moitié des biscuits à la cuiller. Déposez les biscuits au fur et à mesure dans un plat rectangulaire à bords hauts et juste assez grand pour contenir la moitié des biscuits.

Versez la moitié de la crème au tofu et aux framboises sur les biscuits. Couvrez avec le reste des biscuits trempés dans le jus de raisin. Versez l'autre moitié de crème sur les biscuits et lissez la surface avec une spatule. Couvrez de film alimentaire et placez au réfrigérateur pendant 6 heures.

Nappez le tiramisu de coulis juste avant de servir.

Sauce asiatique

250 g de tofu nature pas trop ferme
3 petits oignons frais
1 gousse d'ail
1 c. à c. de gingembre frais râpé
3 c. à s. de tamari
sel, poivre

Préparation : 10 minutes
Pour 4 personnes

Pelez les petits oignons et coupez-les grossièrement avec leurs tiges vertes. Épluchez la gousse d'ail.

Mixez le tofu avec les petits oignons, l'ail et le tamari.

Ajoutez le gingembre, salez très légèrement (le tamari étant salé) et poivrez.

Servez cette sauce avec des crudités ou des légumes cuits à la vapeur, par exemple.

Sauce au tofu et au pistou

250 g de tofu soyeux
2 gousses d'ail
1 bouquet de basilic
40 g de pignons
4 c. à s. d'huile d'olive
2 c. à c. de jus de citron
sel, poivre

Préparation : 10 minutes
Pour 4 personnes

Lavez et effeuillez le basilic. Épluchez les gousses d'ail.

Mettez le tofu, les feuilles de basilic et l'ail dans le bol d'un mixeur.

Ajoutez le jus de citron, l'huile d'olive et les pignons. Salez et poivrez. Mixez jusqu'à obtenir une crème homogène.

Servez cette sauce fraîche avec des crudités ou à température ambiante sur des pâtes.

Mayonnaise au tofu

200 g de tofu soyeux
2 c. à c. de moutarde
1 bouquet de ciboulette (ou estragon, persil…)
10 cl d'huile d'olive
1 c. à c. de jus de citron
sel, poivre

Préparation : 10 minutes
Réfrigération : 1 heure
Pour 4 personnes

Mélangez au fouet le tofu et la moutarde dans un saladier.

Ajoutez progressivement l'huile d'olive en fouettant toujours.

Incorporez le jus de citron. Salez et poivrez.

Lavez la ciboulette et ciselez-la au-dessus du saladier.

Mélangez le tout et réservez au réfrigérateur pendant 1 heure.

Servez comme une mayonnaise classique.

Sauce au tofu pimentée

250 g de tofu nature
1 c. à c. de harissa
1/2 oignon (100 g)
le jus de 1/2 citron
1 bouquet de coriandre
3 c. à s. d'huile d'olive
sel

Préparation : 10 minutes
Pour 4 personnes

Lavez et effeuillez la coriandre.

Pelez l'oignon et coupez-le en gros morceaux.

Mixez le tofu avec l'oignon, la harissa, le jus de citron et l'huile d'olive. Salez et ajoutez la coriandre. Mixez de nouveau pendant quelques secondes. Réservez au frais.

Servez cette sauce avec des crudités ou des légumes cuits.

Conseil : vous pouvez également utiliser cette sauce comme base de farce pour des samosas, par exemple.

Dip au tofu, purée d'amandes et menthe

250 g de tofu nature
2 c. à s. de purée d'amandes
1 gousse d'ail
1 bouquet de menthe
3 c. à s. de jus de citron
2 c. à s. d'huile d'olive
sel, poivre

Préparation : 10 minutes
Repos au frais : 2 heures
Pour 4 personnes

Lavez la menthe. Épluchez la gousse d'ail.

Mettez le tofu et la purée d'amandes dans le bol d'un mixeur. Ajoutez l'ail, les feuilles de menthe, le jus de citron et l'huile d'olive. Salez et poivrez. Mixez le tout pour obtenir une crème homogène.

Placez au frais pendant 2 heures.

Servez le dip au tofu avec des crudités ou tartiné sur des toasts.

Crème au tofu soyeux et au tahin

300 g de tofu soyeux
1 c. à s. de tahin (pâte de sésame)
2 petits oignons nouveaux
1 c. à c. de miso
1 bouquet de persil plat
sel, poivre

Préparation : 10 minutes
Repos au frais : 2 heures
Pour 4 personnes

Lavez et effeuillez le persil. Épluchez les petits oignons et émincez-les grossièrement.

Mettez le tofu et le tahin dans le bol d'un mixeur. Ajoutez les oignons, le persil et le miso. Salez, poivrez et mixez pendant quelques secondes.

Réservez la crème au frais pendant 2 heures.

Servez avec des légumes crus et des tranches d'un bon pain.

Lait et

crème

Lait et crème de soja

Le lait de soja, appelé aussi tonyu, est fabriqué à partir de graines de soja jaunes broyées et d'eau. Le tonyu apporte autant de protéines que le lait de vache. Il est en plus très digeste, peu calorique et dépourvu de cholestérol.

Le lait, le yaourt et la crème de soja remplacent donc avantageusement les produits laitiers animaux en apportant de la légèreté aux desserts, crèmes et autres veloutés.

En fabriquant vous-même votre lait de soja, vous disposez de l'élément de base pour faire des yaourts au soja ou du tofu 100 % maison !

La recette du tonyu :

Faites tremper pendant 24 heures 300 g de graines de soja jaune dans 2 litres d'eau en changeant l'eau deux fois.

Égouttez et rincez le soja réhydraté puis broyez-le au robot ou au mixeur en ajoutant un peu d'eau.

Versez la bouillie obtenue dans une casserole et ajoutez cinq fois son volume d'eau. Faites cuire ce mélange pendant 15 minutes à feu très doux en remuant, jusqu'à ce qu'il n'y ait plus de mousse.

Laissez refroidir et versez dans un tamis garni d'un voile de coton posé sur une casserole. Pressez la pulpe de soja – okara – pour extraire un maximum de jus.

Versez le lait de soja dans des bouteilles stérilisées et réservez-les au frais.

Consommez le tonyu maison dans les 48 heures.

Vous pouvez utiliser l'okara pour enrichir pains, galettes ou soupes. ■

Glace à la crème de soja, au gingembre et au sésame grillé

40 cl de crème de soja
2 yaourts au lait de soja
90 g de miel liquide
50 g de gingembre confit
40 g de graines de sésame

Préparation : 10 minutes
Réfrigération en sorbetière : 25 minutes environ
Pour 4 personnes

Torréfiez à sec les graines de sésame dans une poêle à feu moyen, en mélangeant avec une spatule. Laissez refroidir dans une assiette.

Coupez le gingembre en tout petits dés. Dans un saladier, mélangez la crème de soja avec les yaourts et le miel. Ajoutez le gingembre et les graines de sésame. Mélangez bien.

Versez la préparation dans la sorbetière et faites prendre en glace pendant 25 minutes.

Dégustez la glace aussitôt ou placez-la dans un récipient muni d'un couvercle hermétique et réservez au congélateur jusqu'au moment de servir. La glace se conserve plusieurs jours au congélateur.

Crème de carottes
au lait de soja et au cumin

25 cl de lait de soja
1 botte de carottes (500 g environ)
2 échalotes
1 c. à c. de cumin moulu
1 c. à c. de graines de cumin
1 c. à s. d'huile d'olive
sel, poivre

Préparation : 15 minutes
Cuisson : 40 minutes
Pour 4 personnes

Épluchez les carottes et coupez-les en rondelles. Pelez les échalotes et hachez-les grossièrement.

Faites chauffer l'huile d'olive dans une marmite puis faites revenir l'échalote et les carottes doucement pendant 5 minutes.

Ajoutez de l'eau de façon à juste couvrir les légumes, salez et amenez à ébullition. Baissez ensuite le feu et laissez mijoter à couvert pendant 30 minutes environ afin que les carottes soient bien tendres.

Mixez les carottes cuites avec le lait de soja et suffisamment d'eau de cuisson pour obtenir une crème fluide. Ajoutez le cumin moulu, salez si nécessaire et poivrez.

Faites revenir les graines de cumin à la poêle sans ajout de matière grasse. Dès que l'arôme du cumin se dégage, enlevez du feu.

Servez la crème de carottes dans des bols et parsemez de graines de cumin.

Clafoutis aux mirabelles, au lait de soja et au girofle

30 cl de lait de soja
500 g de mirabelles
3 gros œufs
100 g de sucre de canne en poudre
3 pincées de girofle en poudre
(1 clou de girofle écrasé)
80 g de farine
50 g de beurre
sucre glace

Préparation : 15 minutes
Macération : 20 minutes
Cuisson : 35 à 40 minutes
Pour 4 personnes

Lavez et équeutez les mirabelles. Dans un plat creux, mélangez les mirabelles avec 50 g de sucre et laissez macérer 20 minutes.

Préchauffez le four à 180 °C (thermostat 6). Dans un saladier, fouettez les œufs avec le reste de sucre et la poudre de girofle jusqu'à ce que le mélange blanchisse. Ajoutez la farine et mélangez sans laisser de grumeaux.

Ajoutez le lait de soja petit à petit en remuant pour obtenir une pâte à crêpes épaisse.

Graissez un plat à gratin en porcelaine avec 10 g de beurre. Déposez les mirabelles dans le fond et versez la pâte par-dessus. Répartissez le reste de beurre coupé en petits dés. Enfournez et laissez cuire 35 à 40 minutes : le dessus doit être bien doré.

Saupoudrez le clafoutis de sucre glace à la sortie du four et servez tiède.

Velouté de concombre à la crème de soja et à la menthe

20 cl de crème de soja
2 concombres
1 à 2 gousses d'ail
1 c. à s. de tamari
1 c. à c. de jus de citron
1 bouquet de menthe
sel, poivre

Préparation : 15 minutes
Réfrigération : 3 heures
Pour 4 personnes

Épluchez les concombres et coupez-les en deux dans la longueur.

Enlevez les graines à l'aide d'une cuillère et coupez la chair en gros cubes.

Épluchez et dégermez les gousses d'ail. Lavez et effeuillez la menthe.

Mixez ensemble les trois quarts des morceaux de concombre, la crème de soja, l'ail, le tamari et le jus de citron. Salez si nécessaire, poivrez et ajoutez les feuilles de menthe. Mixez de nouveau pour obtenir une crème fluide.

Versez les veloutés dans 4 bols ou verres et placez au frais pendant 3 heures. Juste avant de servir, répartissez les dés de concombre restants.

Rémoulade de céleri à la crème de soja et aux noisettes

20 cl de crème de soja épaisse
1/2 boule de céleri-rave
le jus de 1/2 citron
2 c. à c. de moutarde
2 c. à s. de tamari
50 g de noisettes décortiquées
1/2 bouquet de persil plat
sel, poivre

Préparation : 15 minutes
Cuisson : 2 minutes
Réfrigération : 2 heures
Pour 4 personnes

Épluchez le céleri-rave et râpez-le avec une râpe à gros trous.

Citronnez le céleri râpé pour éviter l'oxydation puis blanchissez-le 2 minutes à l'eau bouillante salée. Égouttez-le et passez-le rapidement sous l'eau froide. Laissez bien égoutter puis épongez-le dans un torchon.

Lavez et ciselez le persil. Dans un saladier, mélangez la crème de soja avec la moutarde, le tamari et du poivre. Ajoutez le céleri, le persil et mélangez bien.

Concassez les noisettes et torréfiez-les à sec, dans une poêle, en remuant avec une spatule. Ajoutez-les dans le saladier, salez légèrement si nécessaire et mélangez.

Réservez au frais pendant 2 heures.

Conseil : les magasins bio vendent la crème de soja épaisse au rayon frais.

Cocktail au lait de soja et aux légumes

50 cl de lait de soja très froid
6 carottes
3 branches de céleri
1/2 c. à c. de gingembre fraîchement râpé
10 brins de persil (ou coriandre)
1 c. à s. de tamari
sel

Préparation : 10 minutes
Pour 4 personnes

Épluchez les carottes et coupez-les grossièrement en rondelles. Lavez le céleri en gardant 4 feuilles pour le décor. Lavez le persil.

Passez les carottes et le céleri à la centrifugeuse. Mixez le jus obtenu avec le lait de soja, le gingembre, le persil et le tamari.

Ajoutez du sel si nécessaire et répartissez le cocktail dans 4 grands verres.

Décorez de feuilles de céleri et servez sans attendre.

Tarte aux fruits d'automne et à la crème de soja

15 cl de crème de soja
3 pommes acidulées non traitées
2 poires non traitées
50 g de raisins de Corinthe
50 g de cerneaux de noix fraîches ou sèches
150 g de farine
75 g de beurre ramolli
125 g de sucre de canne en poudre
1 pincée de sel

Préparation : 20 minutes
Cuisson : 35 minutes
Pour 4 à 6 personnes

Préparez la pâte : dans un saladier, mélangez la farine et le beurre coupé en morceaux jusqu'à l'obtention d'une consistance sableuse. Ajoutez 2 cuillerées à soupe de crème de soja, 50 g de sucre et la pincée de sel. Mélangez rapidement pour obtenir une pâte homogène.

Étalez la pâte au rouleau puis déposez-la dans un moule à tarte moyen.

Piquez la pâte régulièrement avec les dents d'une fourchette et placez le moule au réfrigérateur pendant 20 minutes.

Préchauffez le four à 210 °C (thermostat 7).

Lavez les pommes et les poires, épépinez-les et coupez-les en cubes de 1 cm de côté.

Mélangez les cubes de fruits dans un saladier avec les raisins de Corinthe, les cerneaux de noix concassés, le reste de sucre et de crème de soja.

Recouvrez la pâte de papier cuisson et remplissez la surface de légumes secs. Enfournez et faites cuire le fond de tarte à blanc 10 minutes.

Enlevez les légumes secs et le papier. Versez le contenu du saladier sur le fond de tarte. Remettez au four pour environ 25 minutes. Si la pâte dore trop vite, baissez le four à 180 °C (thermostat 6) et couvrez éventuellement la tarte. Servez tiède ou froid.

Petites crèmes au lait de soja et aux zestes d'orange

30 cl de lait de soja
15 cl de crème de soja liquide (Biosoy)
les zestes de 1/2 orange non traitée
2 œufs entiers + 2 jaunes
80 g de sucre de canne en poudre

Préparation : 15 minutes
Cuisson : 25 minutes
Pour 4 personnes

Préchauffez le four à 120 °C (thermostat 4) et préparez un bain-marie.

Faites blanchir les zestes d'orange 2 minutes dans une casserole d'eau bouillante puis égouttez-les et hachez-les finement.

Mettez les zestes dans une casserole, ajoutez le lait et la crème de soja, et amenez doucement à ébullition.

Battez les œufs entiers et les jaunes avec le sucre dans un saladier jusqu'à ce qu'ils blanchissent et deviennent mousseux. Ajoutez le mélange de lait et de crème de soja bouillant tout en remuant.

Répartissez cette crème dans 4 ramequins.

Placez les ramequins dans le bain-marie et faites cuire environ 25 minutes au four : les crèmes doivent être juste prises.

Laissez refroidir et réservez au frais jusqu'au moment de servir.

Panna cotta au lait de soja, caramel au café

25 cl de lait de soja
25 cl de crème d'amandes (ou crème de riz)
10 capsules de cardamome
1 g d'agar-agar
2 c. à s. de miel
100 g de sucre de canne
10 cl de café très fort

Préparation : 15 minutes
Réfrigération : 2 à 3 heures
Pour 4 personnes

Mélangez le lait de soja avec la crème d'amandes dans une casserole. Ajoutez les capsules de cardamome légèrement écrasées et faites chauffer à feu moyen jusqu'à ébullition. Retirez du feu et laissez infuser 20 minutes.

Enlevez les capsules de cardamome. Remettez la casserole sur le feu, ajoutez l'agar-agar en pluie et amenez doucement à ébullition en remuant. Laissez bouillir 2 minutes puis enlevez du feu. Ajoutez le miel et mélangez bien.

Répartissez la crème dans 4 verres en les remplissant aux trois quarts. Laissez refroidir à température ambiante puis placez les verres au réfrigérateur pendant 2 heures minimum.

Faites fondre le sucre avec 2 cuillerées à soupe d'eau dans une petite casserole à fond épais, à feu moyen, jusqu'à l'obtention d'un caramel légèrement ambré. Ajoutez le café, mélangez et laissez bouillir encore 1 minute. Laissez refroidir dans un bol.

Arrosez chaque panna cotta de caramel au café et servez aussitôt.

Conseil : vous trouverez la crème d'amandes (La Mandorle®, Amande Cuisine®) dans les magasins bio.

Soufflé au lait de soja, au chocolat
et à l'huile essentielle de menthe poivrée

25 cl de lait de soja
150 g de chocolat noir
7 c. à s. de sucre semoule
4 jaunes d'œufs + 6 blancs
25 g de farine de riz
2 gouttes d'huile essentielle de menthe poivrée
5 g de beurre pour le moule
sucre glace
1 pincée de sel

Préparation : 20 minutes
Cuisson : 25 minutes environ
Pour 4 personnes

Préchauffez le four à 210 °C (thermostat 7). Beurrez un moule à soufflé moyen et saupoudrez-y 1 cuillerée à soupe de sucre semoule. Secouez le moule de part et d'autre pour faire adhérer le sucre aux parois et retournez-le pour enlever l'excédent de sucre. Placez le moule au réfrigérateur.

Faites chauffer le lait de soja dans une casserole.

Fouettez les jaunes d'œufs dans un saladier avec 5 cuillerées à soupe de sucre semoule. Ajoutez la farine de riz et mélangez. Versez le lait chaud dans le saladier en remuant. Transvasez le tout dans la casserole et amenez doucement à ébullition en mélangeant au fouet. Dès que la crème épaissit, retirez la casserole du feu.

Ajoutez à la préparation l'huile essentielle de menthe et le chocolat coupé en morceaux en mélangeant jusqu'à ce qu'il soit fondu. Laissez refroidir.

Montez les blancs en neige avec la pincée de sel. Ajoutez en pluie la dernière cuillerée de sucre semoule et fouettez encore quelques secondes.

Incorporez un tiers des blancs en neige à la crème au chocolat. Ajoutez le reste et mélangez délicatement en soulevant avec une spatule.

Versez la préparation dans le moule jusqu'à 1 cm du bord. Glissez le moule dans le bas du four et baissez le thermostat à 180 °C. Laissez cuire 25 à 30 minutes sans ouvrir la porte du four.

Saupoudrez de sucre glace et servez sans attendre.

Milk-shake aux laits de soja et d'amandes et aux pêches

25 cl de lait de soja
25 cl de lait d'amandes
1 banane
3 pêches bien mûres
1 c. à s. de miel liquide
4 glaçons

Préparation : 10 minutes
Pour 4 personnes

Épluchez la banane. Épluchez et dénoyautez les pêches.

Coupez les fruits en morceaux.

Mettez les fruits dans un blender. Ajoutez le lait de soja et le lait d'amandes, le miel et les glaçons. Mixez le tout jusqu'à obtenir un mélange mousseux.

Versez le milk-shake dans 4 grands verres et servez aussitôt.

Smoothie au yaourt de soja et aux fruits rouges

4 yaourts au lait de soja
300 g de fruits rouges mélangés (framboises, mûres, myrtilles)
2 c. à s. de miel liquide
4 glaçons

Préparation : 5 minutes
Pour 4 personnes

Nettoyez délicatement les fruits rouges sans les laver.

Mettez les yaourts, les fruits, le miel et les glaçons dans un blender et mixez quelques secondes jusqu'à l'obtention d'un mélange homogène et mousseux.

Répartissez le smoothie dans 4 grands verres et servez aussitôt.

Index des recettes

NICOLAS LESER est photographe culinaire depuis une quinzaine d'années. Il a collaboré à Femina, La Bonne cuisine ainsi qu'aux magazines de divers groupes de presse : Emap, Bayard et Prisma. Il a illustré plusieurs ouvrages dont *Histoire de la poule et de l'œuf* (Aubanel, 2003) et *Les vertus de la cuisine bio* (Minerva, 2008).

ULRIKE SKADOW est styliste culinaire et auteur de livres de cuisine. Elle collabore avec Nicolas Leser depuis plus de quinze ans. Ils ont publié ensemble *Histoire de la poule et de l'œuf* (Aubanel, 2003) et *Les vertus de la cuisine bio* (Minerva, 2008).

VÉRONIQUE BOURFE-RIVIÈRE est journaliste, spécialisée dans le domaine de l'alimentation biologique et de l'écologie. Elle collabore depuis plusieurs années à *Consom'action*, le magazine des biocoops. Elle est notamment l'auteur de *Je cuisine bio, fiches pratiques à l'usage des débutants... et des autres* (ADverbial éditions, 2009).

Merci à

Boutic Ethic
1, place de l'École Militaire, 75007 Paris, 01 45 55 56 06
www.bouticethic.com

Ekobo
4 , rue Hérold , 75001 Paris, 01 45 08 47 43
www.ekobo.org

Sira Kura
8, rue Jean-Baptiste-Dumay, 75020 Paris, 01 43 15 08 83
www.sira-kura.com

De toutes les Matières
Atelier Sophie Des Courtis / Céramiques
54, rue la Condamine , 75017 Paris, 01 42 94 07 13

Tribus d'Afrique
23, rue la Condamine, 75017 Paris, 01 44 70 98 12

qui ont gracieusement prêté de la vaisselle
et des accessoires pour la réalisation
des photographies.

Achevé d'imprimer en février 2009
sur les presses de l'Imprimerie Moderne de l'Est
Dépôt légal : mars 2009
Imprimé en France